Drôles de pirates !

À mes trois pirates : Julia, Camille et Clara.
L. Alloing

Les mots du texte suivis du signe * sont expliqués sur le rabat de couverture.

Une précédente version est parue en 2003 dans la collection « Castor Benjamin » sous le titre Plume le pirate.

www.editions.flammarion.com

87, quai Panhard-et-Levassor – 75647 Paris Cedex 13
Dépôt légal : mai 2006 – ISBN : 978-2-0816-3370-4
N° d'édition L.01EJENFP3370.C008
Loi n°49-956 du 16 juillet 1949 sur les publications destinées à la jeunesse

Paul Thiès

Louis Alloing

Drôles de pirates !

Castor Poche

Chapitre 1

Un pirate pas comme les autres

Plume a les cheveux bruns, les yeux noirs, le nez en trompette, et c'est un grand pirate ! Enfin... un moyen pirate, parce que son papa, le capitaine Fourchette, est bien plus grand que lui.

Les méchants pirates massacrent les gens, et les gentils pirates cherchent des trésors.

Le papa de Plume, lui, est très gentil.

La preuve, c'est qu'avant il était pâtissier. Seulement il aimait voyager, alors il a vendu sa pâtisserie, et a acheté un bateau à la place. Il l'a appelé le *Bon Appétit* et depuis, tout le monde est pirate chez les Fourchette ! C'est un beau métier !

Plume ne va pas à l'école, il se baigne toute l'année, et il mange du requin rôti le dimanche.

Dans la famille Fourchette, chaque enfant a un nom de gâteau. Il y a Madeleine, la grande sœur, Honoré, le grand frère, Charlotte, la petite sœur, et le perroquet Tarte aux Pommes.

Plume aussi a un nom de gâteau. En réalité, il se nomme Parfait : mais comme il est plutôt maigrichon, tout le monde l'appelle Plume.

Plume rêve de devenir roi chez les cannibales*, à condition de ne pas se faire croquer d'abord !

– Tu es trop petit pour devenir roi. Tu finiras dans une marmite ! ricanent Madeleine et Honoré.

Charlotte, elle, apprend des tas de bêtises à Tarte aux Pommes.

– Plume est nul ! Archinul ! Ridicule ! répète le perroquet en battant des ailes.

Plume, furieux, décide de s'enfuir pour devenir roi des cannibales, tout seul, comme un grand. Mais au début… il s'entraînera sur une île déserte. C'est plus prudent.

Moqué par son frère et ses sœurs, Plume veut leur prouver qu'il peut devenir roi des cannibales.

Chapitre 2

Gare à l'ouragan

Une nuit, quand tout le monde dort, Plume met à la mer le canot de sauvetage du *Bon Appétit*. Au début, tout va bien. Plume rame hardiment, et le canot file entre les vagues.

Soudain, une terrible tempête éclate. Le vent hurle, le tonnerre gronde, même les poissons ont le mal de mer !

Le pauvre Plume regrette drôlement de s'être enfui ! Surtout qu'un filet l'enveloppe, le soulève hors de l'eau, et le dépose sur le pont d'un bateau.

Un homme blond et barbu se penche sur Plume, et rugit :
– Qui es-tu ?!
– Ben… je… bredouille* le naufragé*.
– Silence ! Je suis Barbe-Jaune le Terrifiant, et mon navire s'appelle *L'Ouragan*. Ici, c'est moi qui commande, compris ?!

– Com... priiis, bredouille Plume en claquant des dents.

Barbe-Jaune s'éloigne en grommelant, et un petit garçon s'approche de Plume. Il a les yeux verts, la peau brune et de longs cheveux blonds comme ceux de Barbe-Jaune. Il est pieds nus et plutôt sale, mais il porte un anneau d'or à l'oreille, et une dent de requin pend à son cou. Plume le trouve drôlement classe !

– Bonjour, sourit le garçon. Je suis Petit-Crochet, le mousse* de *L'Ouragan*. Et toi ?

– Moi je m'appelle Plume, et je viens du *Bon Appétit*, répond le naufragé.

– Le bateau du capitaine Fourchette ? demande nerveusement Petit-Crochet.

– Oui ! Et le capitaine Fourchette, c'est mon papa ! répond Plume.
– Aïe aïe aïe... chuchote Petit-Crochet. Surtout ne le dis pas à Barbe-Jaune. C'est mon papa, et il déteste ton papa !

– Mais pourquoi ? s'étonne Plume.
– Mon papa a très mauvais caractère. Il n'invite personne sur son bateau, alors je n'ai pas de copains, explique tristement Petit-Crochet.

Petit-Crochet regarde Plume et lui demande avec espoir :
– Tu veux bien être mon ami ?
– C'est d'accord ! répond Plume avec un large sourire.

L'ouragan

Plume est repêché par le terrible pirate Barbe-Jaune.
Heureusement il a un ami...

Chapitre 3

Encore un naufrage !

Les jours suivants, le pauvre Plume travaille dur pour Barbe-Jaune. Il doit frotter le pont, peler les patates, laver la vaisselle, faire la lessive et cirer les bottes du capitaine. Mais Barbe-Jaune n'est jamais content : il passe son temps à lui crier dessus !

Heureusement, Petit-Crochet aide beaucoup Plume, puisqu'ils sont amis. Il lui présente même Flic-Flac, son dauphin apprivoisé. Flic-Flac est très gentil, il saute dans les vagues avec une balle sur le nez.

Le soir, les enfants bavardent sur le pont. Plume parle de sa famille à son ami. Petit-Crochet, qui regrette d'être enfant unique, lui pose beaucoup de questions, surtout sur Charlotte.

Un matin, un message arrive par goéland voyageur : le fameux pirate Barbe-Noire invite ses amis, le féroce

Barbe-Rage, le cruel Barbe-Mousse, le vieux Barbe-Rhum et l'affreux Barbe-Jaune, à une grande fête sur l'île de la Tortue.

Barbe-Jaune confie *L'Ouragan* à Petit-Crochet, et il part pour la fête dans sa chaloupe* de cérémonie, avec tout son équipage.

– Hourra ! Vive la liberté, on va drôlement rigoler ! s'exclament Plume et Petit-Crochet en dansant de joie.

Le lendemain, les garçons croquent tellement de requin rôti qu'ils s'endorment après le repas. *L'Ouragan* dérive d'abord lentement, puis de plus en plus vite.

Mais en fin d'après-midi, un choc terrible secoue le bateau : *L'Ouragan* a heurté une île déserte !

Seuls à bord de *L'Ouragan*, Plume et Petit-Crochet échouent sur une île déserte.

Chapitre 4

La princesse cannibale

Seulement, l'île n'est pas vraiment déserte. Elle est habitée par une petite fille, un perroquet moyen et... une grande marmite !

La petite fille est très jolie avec ses

longs cheveux noirs et ses yeux brillants. Elle porte un collier de coquillages, et surveille la marmite qui fume comme une vieille pipe.

Le perroquet, perché en haut d'un cocotier, s'appelle justement Noix de Coco. Il salue les garçons en claquant du bec.

– Dites donc, vous ne pouvez pas faire attention à mon île ?! hurle la fillette.

– On ne l'a pas fait exprès ! Et puis parle-moi poliment, hein ! Je m'appelle Plume Fourchette, futur roi des cannibales ! dit fièrement Plume.

– Ah oui ? Eh bien moi, je m'appelle Perle, je suis déjà une princesse cannibale, et si tu continues, je te flanque à la marmite ! riposte la petite fille.

Plume est ravi de rencontrer une vraie cannibale !

Perle explique aux garçons que son papa est un roi très important. Les cannibales de la région lui obéissent au doigt et à l'œil.

– Mais alors, qu'est-ce que tu fais là ? s'étonne Plume.

– Ben... Mon papa habite une autre île, un peu plus loin. Il viendra me chercher la semaine prochaine. Je suis punie parce que je n'ai pas fini ma soupe de poisson, avoue Perle. Mon

Les légumes
à l'eau.

papa dit que les cannibales ne doivent plus manger les gens, car la soupe est bien meilleure pour la santé.

– Mais alors à quoi sert ta marmite ? s'inquiète Petit-Crochet.

– À me laver. Ma maman dit que les bains chauds sont aussi excellents pour la santé, explique Perle.

Perle accueille les naufragés sur son île, le temps de réparer *L'Ouragan*. Les garçons s'amusent sur la plage, et ils font la planche dans la marmite. Ils invitent même Flic-Flac.

Noix de Coco les survole en criant :
– C'est cuit ! Bien rôti ! Tout bouilli !
Mais c'est pour rire !

Les garçons campent sous les cocotiers. Le soir, ils allument un grand feu, et ils contemplent les étoiles. C'est poétique, et même romantique.

Plume s'assoit tout près de Perle, et il lui tient la main...

Petit-Crochet se sent un peu jaloux ! Il se demande souvent si Charlotte, la sœur de Plume, est aussi jolie que Perle...

Au bout de la semaine, *L'Ouragan* est enfin réparé. Les garçons ont travaillé dur ! Ils décident de quitter l'île avant l'arrivée du papa de Perle. Après tout, c'est un cannibale. On ne sait jamais...

Plume et Perle jurent de se revoir, les larmes aux yeux. Petit-Crochet renifle discrètement. Même Flic-Flac et Noix de Coco semblent tristes.

Après une semaine de rêve avec une princesse cannibale, Plume doit retrouver sa famille.

Chapitre 5

La fin du voyage

L'Ouragan file au vent, jusqu'à ce qu'un beau matin, les deux garçons entendent un cri joyeux :
– Plume ! Hourra ! Le voilà !
– C'est Tarte aux Pommes et le *Bon*

Appétit ! s'exclame gaiement Plume.

Un instant plus tard, Plume embrasse sa famille qui fouillait tout l'océan à sa recherche.

Plume leur présente Petit-Crochet. Les Fourchette trouvent le jeune mousse très bien élevé, malgré sa boucle d'oreille et sa dent de requin.

– Il est drôlement mignon, murmure même Charlotte.

Ah non alors ! Plume n'a pas amené son copain sur le *Bon Appétit* pour que ça donne une histoire d'amour. Quoique...

La famille de Plume fête son retour. Le capitaine Fourchette prépare un énorme gâteau au chocolat, et les enfants dansent sur le pont. Flic-Flac et Tarte aux Pommes se partagent une boîte de gâteaux secs. Bon appétit !

Hélas ! Petit-Crochet doit repartir. Son papa pourrait s'inquiéter. Et s'énerver ! Il devra conduire seul *L'Ouragan* jusqu'à l'île de la Tortue. Ce sera dur, mais comme ça il prouvera au terrible Barbe-Jaune qu'il a fait de grands progrès. Son papa sera fier de lui !

Petit-Crochet salue Plume et sa famille. Il leur promet de revenir le plus vite possible.

Charlotte et lui s'embrassent tendrement. Plume les regarde en souriant : il pense à Perle.

C'était vraiment un beau voyage...

❶ L'auteur

Paul Thiès est né en 1958 à Strasbourg, mais au lieu d'une cigogne, c'est un bel albatros aux ailes blanches qui l'a déposé dans la cour de la Maternelle. C'est que Paul Thiès est un grand voyageur, un habitué des sept mers et des cinq océans ! Il a fréquenté les galions d'Argentine, les caravelles espagnoles, les jonques du Japon, les jagandas du Venezuela et encore d'autres galions dorés au Mexique. Sans compter les bateaux-mouches sur la Seine et les chalutiers de Belle-Île-en-Mer ! Paul Thiès est donc un spécialiste des petits pirates, des vilains corsaires, des féroces boucaniers, des redoutables frères de la Côte, bref des forbans de tous poils !
Mais c'est Plume son préféré !
Alors, bon voyage et... à l'abordage !

❷ L'illustrateur

Louis Alloing

« La mer, je l'ai eue comme paysage depuis que je suis né. D'abord à Rabat, Maroc 1955, puis à Marseille. La mer Méditerranée. Une petite mer que j'imaginais parsemée de petites îles, de petites vagues, de petits pirates et qui sentait bon. Bon comme celle des Caraïbes. Comme celle de Plume et de Perle.
Maintenant à Paris, privé de la lumière du sud, de cet

horizon bleu outremer, je divague sur la feuille à dessin. Je me laisse porter par la vague qui me mène sur les traces de Plume et de ses potes, et c'est pas simple. Ils bougent tout le temps ! Une vraie galère pour les suivre, accroché à mon crayon comme Plume à son sabre. Une aventure. Et pas une petite, une énorme... avec des petits pirates. »

Table des matières

Achevé d'imprimer en mai 2012,
chez Pollina (France) - L60999.